Hel llus yn y glaw
Gruffudd Owen

Cyhoeddiadau
Barddas

Diolch o galon i bawb sydd wedi fy nghynorthwyo ar hyd y daith i greu ac i hel y cerddi hyn ynghyd. Diolch i Elena Gruffudd, Cyhoeddiadau Barddas am ei chyngor doeth ac amyneddgar. Diolch i Eurig Sailsbury a Llŷr Gwyn Lewis am eu cymorth a'u hawgrymiadau, ac i Huw Meirion Edwards o'r Cyngor Llyfrau am ei gyngor yntau. Hoffwn ddiolch o waelod calon hefyd i dîm y Ffoaduriaid, i griw Talwrn Radio Cymru, i dîm ymryson Llŷn ac Eifionydd, i feirdd a threfnwyr Bragdy'r Beirdd ac i Llenyddiaeth Cymru am drefnu Her 100 Cerdd 2014. Yn olaf, diolch i Gwennan, fy ngwraig am bob cymorth, caredigrwydd a chariad.

Argraffiad cyntaf 2015

ISBN 978-190-6396-88-6

Cyhoeddwyd gyda chymorth ariannol Cyngor Llyfrau Cymru.

Cyhoeddwyd gan Gyhoeddiadau Barddas.

Argraffwyd gan Wasg Dinefwr, Llandybïe.

I Mam a Dad

Cynnwys

Gwion Bach

Mae sgwarnog yn yr hogyn – yn rhedeg
    nerth ei draed, ond wedyn
   daw hirlwm llwyd i'w erlyn,
   yna'i ddal, a'i droi o'n ddyn.

Dal dy dir

Dyma gymuned ddedwydd
a'i goriad aur ar Gaerdydd;
ond er mwynhau ffrindiau ffraeth
a huodledd cenhedlaeth
ifanc, daw hiraeth ofer
am hogyn fel blodyn blêr
fu'n rebal, fu'n dal ei dir.
Wyf alltud nawr heb filltir
sgwâr, a hegar gweld hogyn
yn dadmer ei her ei hun.
Hogyn Llŷn yn ymbellhau
a'i ryddid yn ddiwreiddiau.

Zulu

(yn yr oriau cyn dechrau Her 100 Cerdd 2014,
hon oedd y ffilm ar y teledu)

Y peth gwaethaf am unrhyw frwydr
ydi'r aros hir cyn iddi gychwyn.
Yr oriau anwar yn hel ar y gorwel,
ninnau mor fach,
a bwledi'n geiriau mor brin.

'Maen nhw am ein bwyta ni'n fyw ...'

Does dim amdani
ond miniogi'n pensiliau,
sefyll ysgwydd yn ysgwydd
a chanu Rhyfelgri Gwŷr Harlech
gan esgus ein bod ni'n brifeirdd.

Ar ddibyn

(i'r Bertsolari, cantorion penillion byrfyfyr Gwlad y Basg)

Barddoni gyda gwn wrth dy ben:
pam dewis byw fel hynny?
'Pam lai?' meddan nhw.
'Pwy sydd angen "Awen"
pan fedri di redeg ras ag amser
a dawnsio ar ddibyn celfyddyd?'

Mae Franco yn taflu'i gysgod
fel awyrennau rhyfel dros bob cerdd.

Allwn i ddim byw fel hynny.
Ac mae hynny'n dweud mwy amdanom ni
nag amdanyn nhw.

Afon

(i Wei Xinpeng, sy'n ennill ei fara menyn
yn pysgota cyrff meirw o'r Afon Felen yn Tsieina)

Adlais hen wŷr anfodlon
ddaw o hedd dyfnderoedd hon,
sborion dynion dienw
a neb yn eu nabod nhw.

Ond un pysgotwr dynion
diflino sy'n hwylio hon,
yr un na all ddihuno
hen lif oer ei ddalfa o.

Â'i ddycnwch, a chwch a chwys
eu rhwydo wna'n gariadus
i'w fad, cyn rhwyfo'n fudan
â'i lwyth i gysgod y lan.

Tŵr

Y tŵr oer uwch Tryweryn – a erys,
    yn arwydd diderfyn
    fod gwŷr tawel Cwm Celyn
    yn eu lle dan ddŵr y llyn.

Cofrestr Ysgol Pant-glas, Aber-fan

Hen friw y gri foreol – a dreiddia
    drwy'r huddyg pentrefol
    yn ddieiriau fyddarol:
    nid oes neb yn ateb 'nôl.

Dyn eira

Dim ond hen het a chetyn – yn gorwedd
        yn y gwair, a phlentyn
    yn clirio'r llanast claerwyn
    enbyd o oer lle bu dyn.

Ie: 45%

Y rhifau a'r canrifoedd – a orfu,
        ond arfau'r hen rengoedd
    â'n eu blaen gan ddisgwyl bloedd
    yfory a'i niferoedd.

Cyrraedd y gwaelodion

Mae'n rycsac i'n llawn nialwch, fu'n cronni ers amser maith,
'di hon heb gael ei gwagio ers dechrau Blwyddyn Saith.

Ond rhaid oedd ymwroli a gwagio'r rwtsh o'r sach
rhag ofn i honno esgor ar eco-system fach.

Mi ffeindish groen satswma, tocyn trên o Amsterdam,
pwmp beic a dau bwmp asthma, a chopi o *Rhodd Mam*.

Dwy hosan anghymharus, gweddillion mobeil ffôn,
siec Talwrn heb ei chashio – a thywod o Sir Fôn.

Rhif ffôn rhyw hogan nwydwyllt (barchusodd sbel yn ôl),
englynion ar eu hanner, a phecyn sosej rôl.

Map o Steddfod Dinbych ('run ddwytha a'r un cynt)
a chopi o lyfr llyfrgell sydd bellach ddim mewn print,

a phroffylactig unig, yn dal yn ei becyn piws,
mae o gen i ers Dawns y Chweched – heb obaith o gael iws!

Ond ar ôl gwagio'r rycsac o'r trugareddau lu
mi deimlais braidd yn simsan, fel crwban heb ei dŷ,

fel John heb gwmni Alun, fel Aber heb y prom,
fel Syr Wynff heb ei Blwmsan, fel ffarmwr heb ei ddom.

Felly, yn ôl, 'rhen nialwch ffyddlon, yn ôl i'r sach â chi,
achos hebddoch, geriach annwyl, pwy goblyn fyddwn i?

Y daith ddirgel

Er pan oeddwn i yn blentyn, fy arwain wnaeth fy nhad
i bob un twll a chornel anniddorol yn y wlad.

Mi wn na ddylwn gwyno, peth braf 'di mynd am dro,
ond fy arwain ar gyfeiliorn ag arddeliad wnâi bob tro.

Mae stwnsian drwy ryw gorsydd fel gwnaethom lawer gwaith
yn fwy o antur enbyd nag ydyw'n ddirgel daith.

Mi rydw i ers talwm wedi dechrau amau dawn
'rhen ddyn i ddarllen cwmpawd ac i ddal y map ffordd iawn.

Dwi wedi laru hefyd ar ddilyn ôl ei droed
dros glogwyni lle na welwyd 'run llwybr call erioed,

a chael fy rhwygo yn grybibion gan weiran bigog gas
a sgrialu i lawr hen chwarel a hynny ar ddiawl o ras,

a ffraeo efo ffarmwrs cynddeiriog ar eu tir
cyn dianc rhag eu gwaetgwn a'u reiffls duon hir.

Ac i weld be yn y diwedd? Lot o frwgaij? Ambell lyn?
Hen gamfa wedi pydru a dafad gorniog syn?

Ond er pwdu mawr a strancio, a bygwth deud wrth Mam,
mi rydw i fel oen llywaeth yn ei ddilyn o bob cam.

A phan ofynnith eto, 'Wyt ti ishio mynd am dro?'
mi wn na allaf beidio ag ateb, 'Iawn' bob tro.

Marwnad Pom

(1994–1996)

Heb allu yw Pom bellach, – ni rowlia
          yn yr olwyn mwyach;
     ni roed mewn cist ddim tristach
     nag euraidd flew bochdew bach.

Fy llywydd yn fy llawes – a dwriai
          yn dirion i'm mynwes,
     brenin cu fu'n rhannu'i wres;
     annwyl anifail anwes.

Un hoff o grombil soffa – diflannwr
          diflino a smala,
     arwr dewr a herwr da
     yw wariar fyn wiwera.

Oriau mwyn â'r cr'adur mud – a gefais;
          roedd gyfaill mewn gwynfyd;
     ond rhaid dioddef hefyd
     y maen bach tryma'n y byd.

Fy ngiamstar o hamstar hy – â doniau
      Houdini i'w rhyfeddu;
   paham na all o lamu
   o garchar y ddaear ddu?

Tywysog y letusen, – y Rwsiad
      o dras uwchfrenhinbren,
   cnofil o hil Llywarch Hen;
   fy Tsar, ti oedd fy seren.

Byd o boen yw byd di-Bom, – y bochau
      nid bychain gollasom;
   heb f'eurbel a heb fawrBom,
   hynod drist yw 'nghalon drom.

Yn ein gardd, gydag urddas – un arwr
      sy'n gorwedd dan dromlas;
   fy awen hardd, fy marddas,
   fochdew glew, dan garreg las.

Llys: Neuadd Pantycelyn

Un hael iawn ei hyd a'i led,
dyma noddfa'r anaeddfed
lle mae'r meddwl dwl yn dod
i oractio Cymreictod.

Bûm fy hunan yng nghanol
rhyddid ffals eu breuddwyd ffôl,
yn ŵr mawr a gadwai'r mur
yn *rat-arsed* yn y ffreutur;

a chwydais i'w chawodydd
fôr o rwtsh am fory rhydd
un waith. Ond ein llys ni oedd
a ninnau yn frenhinoedd.

Aberystwyth

'The perfect town for the unambitious man.'
Wynford Vaughan-Thomas

I'r diawl â phob uchelgais!
Pam na chawn ni daflu'n cyfrifoldebau i'r gwynt?
Anghofio teuluoedd,
rhoi heibio swyddi saff,
troi cefnau ar ddinasoedd blonegog,
a chyfnewid y cyfan eto
am hud y machlud a'r môr?
Beth arall sydd wir ei angen arnom?

Cawn sgwario i lawr Rhiw Penglais
a'n sgarffiau a'n syniadau yn chwifio yn y gwynt.
Canu'n eglwysig mewn tafarndai budron.
Bwyta brecwastau llawn mewn caffis gweigion,
a bod yn wirion.

Cael ail wynt am ddau yn 'bora,
cyfarch bownsars fel hen ffrindia;
rhannu gwên wrth godi gwydra
a phasio'r postmon wrth fynd adra.

Pendwmpian mewn darlithoedd,
dadlau'n chwyrn dros bethau dibwys;
codi am swpar yn ein pyjamas,
torri'n c'lonna.
A theimlo pob cusan, pob meddwad,
pob syniad a phob deigryn mor ddwfn â gwely'r môr.

Ond hen lanw creulon fu hwn erioed
yn chwydu ei gerrig mân ar draeth
i sgleinio dan haul a sêr
cyn ein sugno'n hallt yn ôl i'r dyfnder,
i'n gwareiddio drachefn ag uchelgais.

Mae hi'n rhy hwyr i ni bellach.
Ac mae'n swyddi llwydion
a'n dinasoedd sychion yn galw arnom eto.

Cywydd serch

Tyrd â'th awen nos Wener;
yn floesg mi rannwn yn flêr
eiriau rhwydd a lager rhad
rheolau byw i'r eiliad.
Peintia, hyrddia dy harddwch,
fy lili wen; tafla lwch
i'm llygaid, enaid unnos,
rho dy law, fy meinir dlos.
Awn a sibrwd cyn sobri
hen dwyll 'rwy'n dy garu di'.
Tyrd law yn llaw cyn daw dwrn
i'n sadio fore Sadwrn.

(Ysgrifennwyd y cerddi â theitlau dwbl ar gyfer Her 100 Cerdd 2014.
Fe'u crewyd wedi i ddau air gael eu tynnu o het ar hap.)

Ficer / Peraroglus

Doedd y praidd ddim yn rhy siŵr o'u ficer newydd.
Rhy ffansi o'r hanner.
Arwydd o fugail da ydi
bod o'n ogla fel y defaid;
nid fel siop floda!
Ond fe wyddai
gwraig y ficer o ble deuai'r sent
pys pêr ar ei syrplan.
Gwenodd.
Gwell tyfu cariad na'i gorlannu.

Carnifal / Llychlyd

'Mae hi'n bryd iddi fynd i'r gwellt,'
meddan nhw.
'Sbïwch ar ffrogia'r genod bach 'na.'
'Tydi o ddim ffit.'
Gyrrodd Ted ei lorri
drwy'r dorf denau
mor falch ag erioed.
Cymerodd gip
ar y tair tywysoges
yn y trwmbal.
Doedd yr un ohonynt yn gwenu
er iddo osod carped
dan eu tinau 'leni.
Hwn fyddai ei garnifal ola'.
Canodd ei gorn
a thwt twtiodd pawb.

Tŵr / Lliwgar

Daeth mis Tachwedd
eto fyth
i dorri calonnau'r ddinas.
Sgrialodd y bobol i'w tai
gan adael i'r coed farw.
Yna, yn nawns olaf y machlud
sleifiodd gwreichionen drwy'r glaw
a ffrwydrodd canghennau'r
dderwen dalaf
yn dân gwyllt o liwiau.

Blwch post / Anfoddog

Rhedodd Martin at y blwch post
a chicio'r diawl yn hegar.
'Cym honna'r bastad coch – chdi a dy hen geg gam!'
Teimlai'r blwch post nad oedd hyn yn gwbl deg.
Ac roedd o'n iawn ...
Ond does dim yn fwy clwyfedig
na hogyn wyth oed
sy'n disgwyl am ateb
gan ei dad.

Y beic

Drwy'r ddinas ddiflas o ddu
hen geir sy'n llusgo gyrru
i'r gwaith, yr un daith bob dydd
yn boenus araf beunydd,
y gyrwyr unig, araf,
tew a hyll hyd lannau Taf.

Daw'n dawel rywbeth melyn
ar ras wyllt drwy'r gyrwyr syn.
Mae o yn treiddio trwyddynt,
dyn o'i go' yn mynd yn gynt,
yn rhy gwit i unrhyw gar
ei herio, dyma wariar.

Yn ddig a llawn eiddigedd,
yn swrth, fe holant o'u sedd:
'Pwy 'di o â chlamp o din
lluniaidd? Pwy ydi'r llinyn
tena, ai feic o'n tanio?
Ai gwenyn? Ai deryn 'dio?
Ai arwr? Ai awyren
feionic? Ai tric? Ai trên
ydoedd?' Na, myfi ydyw
ar y beic yn morio byw.

Y ffŵl del ar geffyl dur
yn hyrddio drwy'r holl gerddwyr.
Un mental dros balmentydd
ara' deg dinas Caerdydd.
Dwi'n gwau drwy'r llwybrau fel llong
â hamstrings fel Lance Armstrong.

Hybrid yw'r beic arobryn,
dyfais swanc i lanc o Lŷn,
beic arwr, boi cyhyrog
ar ras (rwy'n dipyn o rog),
wyf fwled siaced felen
ar daith i'r gwaith gyda gwên.

• • •

Ar daith o'r gwaith, fel y gog,
holodd fy ffrind yn hwyliog:
'Hei, un fach slei ar nos Lun?
Hannar o seidar sydyn?'
Ystyriais ei gais yn gall;
ai lembo 'sa'n cael amball
wydryn cyn seiclo adra?
Ydi hyn yn syniad da ...?

'Ydi wir! Mae'n syniad da,'
meddwn, dwi'n methu madda
i beint, be gythgam sy'n bod
ar i ddau gael rhyw ddiod?

Fel'ma, efo fy helmet
heriais steil rhyw far sidêt.
Aeth peint yn ddeubeint, yn ddeg,
a chwennych tancio chwaneg.
Un seidar drodd yn Sodom
(syniad drwg oedd noson drom).
Gofyn wedyn, fel idiots,
am wisgi, sieri a siots.
Yna'n chwil clywn gloch ola'
an-sidêt yn dweud 'nos da'.

Nid yw'r *booze* yn ffrind i'r beic;
chwalfa o beth yw chwilfeic.
Yn igam-ogam giami,
yn ara' a swrth yr es i.
Hanes bardd oedd colli sbid.
(Hiwbris oedd fy meic hybrid.)

Trewais, ni reidiais yn rhwydd,
goedan aflan, 'Be aflwydd?',
a'r palmant (erchyll antur)
yno'n chwil mewn poen a chur.

Dwi'n difaru malu 'meic,
wyf chwilfardd, powliaf chwilfeic.
Hoblais ag olwyn wobli
adra 'nôl, ni fedrwn i
ond igam-ogam gamu
drwy'r ddinas ddiflas o ddu.

Rhannu swydd

Mi ddeffrais fore Sadwrn ar ôl nos Wener drom
a 'mhen fel Nagasaki, a 'mowals fel y Somme.

Mae gan 'rhen 'Gruff nos Wener' bob wythnos un job fach
sef gwneud siŵr bod 'Gruff dydd Sadwrn' yn deffro'n fyw
                                                    ac iach.

Ond na, roedd 'Gruff nos Wener' awydd dropyn bach o êl
ac mi aeth y diawl i hwyliau ac anghofiodd am y ddêl.

Fy job fel 'Gruff dydd Sadwrn' 'di mynd i'r *gym* am awr;
ond 'rôl codi o fy ngwely roedd rhaid 'mi orwedd lawr.

Gorweddais yno'n marw a finnau'n methu dallt
pwy chwydodd yn fy wardrob a pham bod cyrri yn fy ngwallt.

Roedd golwg ar y gegin, fel pe bai cant o foch
'di galw acw neithiwr am orji mewn sos coch.

Roedd llygaid fy anwylyd mor drugarog â dwy graig.
(Dwi'n ama' bod 'Gruff nos Wener' heb drafferthu ffonio'i wraig.)

Fe es i brynu coffi, ond sylweddoli wnes
fod y lleidar diegwyddor wedi dwyn fy sglyfath pres.

Rwy'n dechrau dod i'r casgliad nad ydi rhannu swydd
â hunanol Jägerbomiwr anystyriol ddim yn rhwydd.

Ond mi gaiff 'rhen 'Ruff dydd Gwener' cyn hir edifarhau:
fy nghynllun wythnos nesa ydi meddwi 'Gruff nos Iau'.

Hunlun

(ymson merch ysgol ar Facebook)

Yn rhad, cewch fy nireidi, – cewch fy ngwallt,
      cewch fy ngwg fach secsi
    dair-ar-ddeg, cewch fy rhegi,
    cewch fy oll; jyst liciwch fi.

Potel

Erioed, yn fy seler i – hen hunllef
      o winllan sy'n cronni
    mewn potel ddofn; rwy'n ofni
    yn sobor ei hagor hi.

Rhaw

Celwyddog ar ddydd claddu – yw'r weddi
     adroddais, serch hynny
    yno roedd Duw ym mhridd du
    fy ngwreiddiau'n fy ngheryddu.

Cist

Rhoddaist dy drugareddau – yno'n glyd
     dan glo dy feddyliau,
    ond rhydodd dy oriadau
    a'r gist sydd bellach ar gau.

Bethel, Penrhos

(yn 2012 caeodd ysgol Sul Bethel, Penrhos
ei drysau am y tro olaf ar ôl 160 o flynyddoedd)

Fesul un maen nhw'n huno,
rwy'n gwybod hyn ers cyn co'.
Heb blant, mae eu methiant mwy
a'u llwydo'n ddealladwy.

Aeth y groes yn groes i'r graen,
hen adfail ar dywodfaen
yw'r capel tawel, a'r tân
yn rhew ers amser rŵan.

Ond Bethel, mae'r tawelwch
o'th ôl yn llethol fel llwch.
Mi wn fod dan y meini
rai a wêl fai arnaf fi.

Syrcas yn y ddinas ddu

Cwrw dig. Lleisiau Caerdydd.
Cwffio yn hawlio'r hewlydd.
Oedais ... cyn gwylio wedyn
hud y ddawns sydd rhwng dau ddyn.

Dau ddyn yn creu diddanwch
yn y dre, a'u gwaed yn drwch.
Bwrw'r llall, mor bur eu llid
a'u dyrnau'n llawn cadernid.

Y ddau mewn drama mor ddu,
dau fwystfil chwil yn chwalu
ei gilydd, ond fe'u gwyliais
am mai trech yw drama trais.

Y Diff(aith)

Waeth beth ddywed y beirdd,
tydi bywyd yn y brifddinas
ddim yn gocên i gyd.
Sorri i dy siomi, gyfaill.

Rydan ni ar fai am werthu'r lle
fel rhyw steddfod ar steroids;
smalio mai Grangetown ydi'r Pair Dadeni
a bod ein hafiaith yn heintus hyd strydoedd Canton.
Buan iawn mae rhywun yn blino ar 'fwrlwm'.

Tydan ni ond yn genhedlaeth arall
yn cwsg-gerdded drwy'n hugeiniau
i gyfeiliant grwndi'r llungopïwr
tuag at syrffed swydd a morgais.

A chyn hir, plastrwn waliau'n tai'n llawn tirluniau cysurlon
ac emynau'n plentyndod
a chodi hiraeth fel cyfog melys i dawelu'n heuogrwydd.
Bodlonwn ar fagu cyflog, a bloneg
a phlant anniolchgar.

Neu hwyrach bod y beirdd yn iawn,
mai yma yr achubwn ni'n hunain,
ac mai fi sydd eto fyth
yn gwrthod mwynhau fy hun.

Fel yr hogyn bach hwnnw
a dreuliodd bob parti pen-blwydd
yn disgwyl i'w fam ddod i'w gasglu.

Yr haf

(Llain Gaza, Gorffennaf 2014)

Du yw wybren Duw Abram,
dant am ddant a phlant yn fflam.
Un Duw, ond dau ddarn o dir,
naill yn grand, llall yn grindir.
Duw Babel, Duw heb obaith
i'w rai mân ond chwerwder maith.
Duw yr haul, ond nid yw'r ha'
yn gysur i lain Gaza.
Eleni hen elyniaeth
rwyga wŷr o ddrwg i waeth.
Storom mor hen â'u stori;
dant am ddant hyd fedd yw hi.

'... ni'n pedwar, awn heb hidio
un dam am ei erlid o.
Croeswn ein traeth er gwaethaf
holl rwbel rhyfel yr haf.
Awn yn bowld a mynnu bod
yn wariars dan drwyn Herod
yn y tanc. Mewn dillad ha'
awn i sgowtio'r cwt 'sgota.
Lle da i chwara a chael
mwy o hyder cyn 'madael
yn rebals ... er pob rhybudd
awn i'r haul yn fechgyn rhydd ...'

Rhy hael fu rhyfel erioed
yn rhannu baich yr henoed.
Bu llygaid ambell hogyn
yn dyst i gyflafan dyn.

Rhwygwyd pob darn o'r hogyn – yn ulw
    dan yr haul mawr melyn,
  a'i gorpws ond yn gerpyn
  o waed i'w ffrindiau ei hun.

Rhyw wylio'r oedd marwolaeth
ras y tri ar draws y traeth.
Un saib ... cyn 'nelu ei saeth ...

Duw gwâr, a Duw trugaredd, – Duw y traeth,
    Duw y trais diddiwedd,
  Duw heulwen, Duw dialedd,
  a Duw'r bom a'r pedwar bedd.

Pob trais yn adlais waedlyd – o hen gof,
    hen gyrff yn dychwelyd;
  y meirw yn ymyrryd
  o'r bedd i ferwino'r byd.

Llygad am lygad a chledd
Duw ddoe a'i awch diddiwedd
am bedwar hogyn arall
a'u dawn i arwain y dall.
Dant am ddant a phlant yn fflam,
du yw wybren Duw Abram.

Er cof am David Robinson

(Yn 1976 roedd ffrind gorau fy nhad, dringwr profiadol
o'r enw David Robinson, newydd goncro wyneb gogleddol
y Matterhorn, un o ddringfeydd anoddaf yr Alpau. Ond ar y
ffordd i lawr fe lithrodd a bu farw ar y mynydd. Fe'i claddwyd
yn nhref Zermatt yn y Swistir. Fy nhad, sydd yn saer maen,
a luniodd ei garreg fedd. Yn 2014 aeth fy nhad i weld bedd
ei ffrind a'r garreg a luniwyd ganddo am y tro cyntaf.)

Herio gwŷr wna'i greigiau o – a'i antur
      yntau oedd eu dringo,
    enaid dewr, ond yna, do,
    un garreg ddaeth i'w guro.

Un garreg wnaed o gariad – a luniwyd
      yn lân fel galarnad,
    ac uno eu gwahaniad
    wna'r rhodd a naddodd fy nhad.

Cymry uniaith olaf Llŷn

(ymateb i erthygl o'r wefan Rhiw.com sy'n olrhain
rhai o Gymry uniaith olaf Llŷn ar ddiwedd y 1960au)

Dwi'n gwybod ei bod hi'n afiach
deisyfu bod fel nhw.
Peth hyll fyddai
eiddigeddu wrth eu cylch cyfyng,
mawrhau tyddynnod eu hanwybodaeth
fel Adda yng Ngardd Eden.

Ac eto, ni allaf beidio dychmygu
cannu f'enaid o'r Seisnigrwydd hwn.
Cael bod yn gyfan unwaith eto.

Ond na, breuddwyd gwrach.
I'w pitïo mae'r rhain,
yn lapio'u hunain fel tyrchod daear
ym mhridd du methiant
a'u dillad yn suro ar eu cefnau crwm.

Dwi'n ffŵl wrth gwrs.
Mae Cymry uniaith Llŷn yn dal yno
'mond mai Saesneg ydi'r iaith,
ac maen nhw'n mynd o nerth i nerth
yn nhyddynnod eu hanwybodaeth.

Dyled Eileen

Aelwyd hesb, a'i dyled hi
ynom ers dydd ein geni.
Talu wnaeth eu teulu nhw,
â chariad, ddirwy chwerw.

Curwyd drws, cariwyd dresel
yn ddi-hid, ond doed a ddêl,
â'i gwedd ddewr ni phlygodd hi.
Er i'r bil, er i'r beili
hawlio byd y teulu bach,
rywfodd roedd hon yn gryfach.

Ni allodd Cyngor dorri
dim o'i hysbryd diwyd hi.
Iddi hi, yno'n ymhél
roedd canrifoedd o ryfel.
Talodd hon â haelioni
aelwyd wag fy nyled i.

Pan fwyf yn hen a pharchus ...

Pan fwyf yn hen a pharchus
a thros fy nhrigain stôn,
yn llwgwr ac ariangar
fel ffarmwrs Ynys Môn,
mi brynaf fwthyn unig
sy'n goblyn o *eye-sore*
ger creigiau Aberdaron
a thonnau gwyllt y môr.

Pan fwyf yn hen a pharchus
a'm cerddi'n dod o 'nhin,
a minnau wedi casglu
holl anrhydeddau'r Cwin,
mi brynaf fwthyn unig
a chanu fel rêl bôr
am greigiau Aberdaron
a thonnau gwyllt y môr.

Pan fwyf yn hen a pharchus
'di cyrraedd reit i'r top,
gofynnaf yn garedig,
neith rhywun weiddi 'stop!'
a galw draw i'r bwthyn,
a thorri i lawr y ddôr
a'm gwthio dros y clogwyn
i donnau gwyllt y môr?

Pedair cerdd i Llinos

(Yn mis Hydref 2009 anafwyd fy chwaer yn ddifrifol mewn damwain car. Chwalwyd ei chlun a phont ei hysgwydd a threuliodd wythnosau yn yr ysbyty.)

Y Mynydd Unig

Nadolig 2008

Dringo'r mynydd
am nad oedd ganddon ni
ddim byd gwell i'w wneud
rhwng y Nadolig a'r flwyddyn newydd.
Ogla rhew, a bechdan dwrci,
a chacan Dolig oer i'w rhannu,
a ninna'n gwenu
a phob mynydd ar ôl hynny
yn unig hebddi hi.

Caergrawnt

Nadolig 2009

'Mi fydda i adra erbyn Dolig, 'sti.'
'Byddi siŵr.'

Ac mi roedd hi'n iawn,
mi roedd hi adra Dolig.

Mewn cadair olwyn.

Ceffyl da 'di ewyllys
(breuddwyd brawd bach)

Hen geffyl drwg yn rhedag yn wyllt
trwy ardd gefn ein tŷ ni,
a finna yn methu'n lân â'i stopio fo.
Mae Llinos yn neidio allan o'i chadair olwyn
ac yn gafael yn ei gyfrwy o,
am fy mod i wedi methu.
Ceffyl da 'di ewyllys.
Hen geffyl drwg.

Bellach
Tachwedd 2011

Mae hi'n well bellach.
Yn well na be? 'Dwn 'im.
Yn well na fi, hwyrach.
Mi faswn i yn dal yn yr ysbyty 'na,
yn deilchion, ar waelod y mynydd unig.
Ond mae hi'n well.

Hel llus yn y glaw

Fe wyddwn yn syth fod honno'n flwyddyn wan,
y tro cynta hwnnw
i mi dy dywys i gesail y mynydd.
Roedd y llus yn fân a'r awyr yn ddu,
ac wrth dy wylio'n stryffaglu drwy'r grug
dechreuais ofni
dy fod am golli mynadd.
Hwyrach mai creulondeb oedd gorfodi
ein defod deuluol arnat ti:
ystyriais ildio a dod i arfer â phrynu llus siop.

Ond daliaist ati nes llenwi'r potyn;
y reddf gyntefig
yn bwrw'i gwraidd yn barod.
Fe wyddwn bryd hynny,
a'th fysedd a'th wefusau'n biws,
y deuem yma eto
i hel llus yn y glaw.

Cadw tŷ

Mi fynnant ddal eu gafael am ryw hyd
er bod y tŷ 'di mynd rhy fawr i ddau,
a'r lleithder yn merwino'r waliau i gyd.

Mae'r hen styfnigrwydd yma'n costio'n ddrud
a llafn y gwynt drwy'r cracia'n miniocáu,
ond mynnant ddal eu gafael am ryw hyd.

Er y bu rhyw dro yn gartre clyd
ynfydrwydd erbyn hyn ydi parhau,
a'r lleithder yn merwino'r waliau i gyd.

Ond swatiant gyda'u trugareddau mud
a'r sawl sy'n galw heibio yn prinhau,
a mynnu dal eu gafael am ryw hyd.

Dan haen o lwch disgwyliant dro ar fyd,
yn wystlon i'r cyfrolau sydd ynghau
a'r lleithder yn merwino'r waliau i gyd.

A hwythau wedi arfer byw cyhyd
ar friwsion ddoe a brith atgofion brau,
mi fynnant ddal eu gafael am ryw hyd
a'r lleithder yn merwino'r waliau i gyd.

Dyhead

O hyd, bydd y byd a'i ddwylo budur
yno'n ein gwawdio tu draw i'r gwydyr,
tan drown ni eto yn driw i'n natur
o'n cewyll afiach i'r caeau llafur
i estyn am ryw ystyr. Eto i gyd,
yr wyf o hyd wrth fy nghyfrifiadur.

Y Sais o Lŷn

Pe na bawn i yn fi fy hun
mi laswn fod yn Sais o Lŷn;
mi fuodd Mam a 'Nhad a Nain
yn cyfeillachu'n yr iaith fain.

Cael a chael oedd hi, mae'n rhaid,
i Mam a 'Nhad wneud clamp o naid,
a weithiau holaf fi fy hun,
'pwy fyddai o, y Sais o Lŷn?'

10.3.16